야생초

이윤지(물봉)
시집

야생초

발 행 | 2024년 02월 02일

저 자 | 이윤지(물봉)

펴낸이 | 한건희

펴낸곳 | 주식회사 부크크

출판사등록 | 2014.07.15.(제2014-16호)

주 소 | 서울특별시 금천구 가산디지털1로 119 SK트윈타워 A동 305호

전 화 | 1670-8316

이메일 | info@bookk.co.kr

ISBN | 979-11-410-4400-8

www.bookk.co.kr

야생초

이윤지(물봉)
지음

◎ 지은이의 말

꽃 시든 자리에서 숨 고르며
적어본 허접하고 두서없는 글입니다.
부끄럽지만
그래도 욕심을 내어봅니다.

차 례

차 례

차 례

::

차 례

....

가을 편지

작은 둔덕 귀퉁이
갈대 우거져 흩날릴 때
시린 석류알 같은 사랑이 익어 간다

붉게 물들어 가는 단풍
이별의 시간이 가까이 오면
바램이 죄가 되듯 지쳐만 간다

귀뚜라미 울음소리 짙어지고
풀 향기 사라져가는 가을
조금은 서글픈 날

비워둔 마음은
잃어야 하는 아쉬움으로
누군가에게 가을 편지를 쓰고 싶다

빈 항아리

어느 날 문득
빗물과 함께

도둑처럼 스며들어
주인 행세를 하려 든다

거센 기세에 몰려
포화 되어버릴 것 같은

그 흔들림을
밀어내고서야

비로소 빈 항아리는
안정을 되찾는다

소리

바람 불어 좋은 날
짙은 노을 붉게 물든 수평선
돌담에 업혀 춤추는 동백꽃 송이

흔들리는 가슴 위에
부서지는 달빛
숱한 소음들이 파도에 쓸려가는데

든바다[1] 모래성을 허물며
아직도 살아남아
어둠을 헤집는 소리소리들

---

1 든바다 : 육지로 둘러싸인, 육지에 가까운 바다

봉인된 엽서

자물쇠 없는 우체통
봉인된 엽서
가슴 떨리는 소식

실바람도 숨죽인
희망의 꽃이 핀다
그 향기 내 안에서 가득 차 오른다

외롭던 영혼에
포근한 햇살처럼 찾아온 너를
호피 무늬 이불자락에 감싸 안고

부끄럼 없이 살다
그림자가 하늘에 닿을 때쯤
티끌도 눈부신 삶을 염원한다

고목

활공하던 독수리
내려 쉬는
등껍질 깊게 팬 고목

당산목이라는
신화적 숭배로 승화시켜
응축된 꿈을 매단다

그 숱한 소망들을
내려놓지 못해
휘어진 가지

용트림에 뒤틀린 채
속살마저 썩어버려
아픈 세월의 흔적을 남긴다

들풀

길가 어쭙잖은
나부랭이 풀
어두운 밤 별똥별 바래다
한지잠[1] 설친다

풀잎 끝에 매단
밤이슬 떨어진 곳
바닥 기는 풀벌레
목축임 한다

갈 기슭에 숨은 새
먹이 찾아 내려앉고
지나는 구름
잠시 머물다 흩어진다

---

1 한지잠 : (순우리말)한데에서 자는 잠.

목련 꽃송이

설원이 지나간 자리
언 땅을 뚫고
세상을 향해 밀고 나와

줄기 끝에 매단 꽃잎이
따사로운 햇살 아래
곱게도 피었구나

하얀 모시 치맛자락 감아쥐고
갈색 버선목에 감춘
어린 봉오리 게슴츠레 눈을 뜬다

동창이 밝아 바라지문[1] 열어보면
땅 위에 내려앉은
그마저 아름다운 꽃

깊은 밤
잠 설쳐 피워
짧게 보이고 가는 목련 꽃송이

---

1 바라지문 : 대청마루 뒤쪽에 널판으로 만든 문.

봄

먼 하늘
찬 구름 걷히고
태양이 조금씩 다가오면

영롱한 빛에
잔설 녹아 흐르는 개울물 소리
실눈으로 기지개 켜는 나무

단잠 깨우는 실바람
언 땅에 살폿한 입맞춤으로
어린 향 짙게 토해내는 풀씨

온 세상을 연둣빛으로 물들이고
먼 곳 봄소식 안고 온 제비
푸른 꿈 얘기에 새들 모여든다

기다림으로 피운 꽃

달 바뀌고
해 바뀌어
염원을 허락한 신은

어젯밤 별빛 쏟아
은하수길 만들더니
복사꽃 닮은 너를 보냈구나

문설주에
날개 접은 나비
숨죽인 기다림으로 피운 꽃

고운 숨결에
옅은 미소를
따사로운 봄볕이 염원한다

벚꽃

화기 입은 나무 살창에
드나드는 바람이 매서워
옷깃 여미다 슬쩍 본 울타리

시린 나뭇가지에
새싹이 돋는가 했더니
아궁이 불빛에 익었나

이슬 머금고 활짝 피었다
아리따운 아가씨들이 춤을 춘다
숫기 찬 바람이 시끌벅적 설쳐댄다

벚꽃 비에 흠뻑 젖은 연인들
허락받지 못한 사랑이 안타까워
치마폭마다 펄럭이며 떨어진다

산 백합

얕은 산속
산 백합 피었다
아침 이슬 먹고
바람결에 피였다

깊은 입 속에 숨은 벌 나비
바쁘게 드나들다
멍이 들었나
얼룩져 시들어 가는 꽃잎

초록에 어우러져 가던 발길
멈춰 선
나그네 애꿎은 옷자락 끝에 스쳐
꽃향기 짙게 묻어간다

저주

나로 하여 아팠던 마음
서러웠던 상처
용서할 수 없는 눈물은
차가운 저주로 나와함께 잊어주라

두고 떠나는 사람은
발밑 가시가 발자국마다 찔러댄다
짓이겨 놓은 멍든 마음은
까만 돌담 밭 되었구나

송곳이 헤집으면
이런 아림일까
동지섣달 얼음 속이
이렇게 차가울까

베여버린 칼날에
두 동강 난 나무토막
어디서 썩어간들 알 길 없으니
그냥 무념무상이 상책이더라

풀벌레 찬 울음소리

잿빛 바람 속
눅눅한 그림자가 내려앉는다
까마귀 보금자리 찾는 밤

밤새 내린 눈에
떠돌던 풀벌레
흠뻑 젖어 시든 풀잎 밑을 파고든다

깊은 밤 부는 바람은 안다
풀벌레 찬 울음소리
숨 가쁜 이유를

가을과 이별 인사 끝나기도 전
내린 차가운 눈을 피해
작은 몸 숨기느라 지쳐서 운다

잔해

허물다 만 빌딩의 형체
일그러진 그림자
침묵은 어둠보다 깊고 무겁다

부서진 유리창 넘어
넋이 나간 채 뒹굴어진 술병은
눈만 껌벅인다

버둥대다 포기해 버린
뼈만 남은 가구에 걸터앉은
공포가 혐오스러운 눈길을 보낸다

뺏겨버린 주도권의
파산된 잔해는
오가는 이들의 등골을 오싹하게 한다

논두렁 비밀 지킨 죄

황량한 들판에
쓰러진 갈대 흩뿌린 씨앗
해 질 녘 논두렁 비밀 지킨 죄

관습에 가린 외면
씹은 입술에 피맺힌 서러움
가슴속 응어리지고

참을 수 없는 갈등의 순간
물가에 빈 낚싯대 드리워 놓고
꿈을 비워야 했다

삼켜버린 가시
토해 내지 못해 머금은 채
차마 내려놓지 못한 질긴 인연을 보듬는다

파멸한 영혼

봇도랑[1] 물
강의 유속처럼 빨라
물끄러미 바라만 보았다

애초에도 삶이 고단하여
낡고 헤진 꿈도 허락지 못해
파멸한 영혼은

주저 없는 포기로
시리도록 푸른 창공을 나르다
어디로 갔을까

어슴푸레한 형체조차 없이
허기져 우는 새
하얀 소음 되어 귓가 맴을 돈다

---

1 봇도랑 : 봇물을 대거나 빼게 만든 도랑.

늙은이

깊은 산자락
회화나무 우거진 길
유유히 흐르는 구름은 아득한데

아름드리나무 아래 둘러쌓은 돌단
작은 둔덕에 기댄 울타리
움막 같은 흙집

허름한 둥지의 늙은이
마른풀 사이
짙은 기침 내뱉는다

뒤뜰 대나무 숲 지나
표고 목이 줄 서 있고
작은 석간수에 표주박 하나 덜렁댄다

어느 돌 틈에서
가을 알리는 귀뚜라미 소리에
견뎌낼 자신이 없어

수행을 포기하듯
야무지게 살아내려던 꿈을
내려놓을 채비를 한다

비산

서리꽃 피던 여름
매미도 숨죽인 날이 있었다

차가운 얼음 밑을 조용히
흐르는 물처럼 스며든 슬픔은

초혼[1] 을 부르는 메아리 되어
짙은 음영 속에 숨어든다

영원히 풀 수 없는 아픔만 남기고
그는 비산[2] 하고 만다

---

1 초혼 招魂 : 망인의 이름을 세 번 부르면 살아 돌아온다는 전통
적인 상례 의식(고복).
2 비산 飛散 : 날아서 흩어짐.

어쩌란 말이냐

무덤을 덮고 있는
잡초 뒤에 숨은 벌레가 되고 싶다
내 형체 까맣게 지우고 싶다

묘지 위에 풀씨
자라다 엉킨다
저린 가슴 묵힌 서러움까지 달고

생존을 위한
족쇄를 풀지 못한 채
필연의 세월 견디다 가고 없는데

갉혀버린 피눈물들은
어쩌란 말이냐
어찌하란 말이더냐

망와의 눈물

기왓장에 새겨진
도깨비 얼굴이 젖어 울던 날
떨어지는 물 위에 붉은 윤슬은
망와[1] 의 눈물 자국인가

지켜주지 못한 미안함을
필연적인 이별이란 핑계로
기왓골 흐르는 물
보고만 있을 뿐이다

영혼이 떠나면
이승에 사는 동안 깊은 회개는
음영 짙어 진날
사자의 심판에 맡겨두고

---

1 망와 : 용마루 끝머리에 끼워 그 마구리를 장식하는 것으로
망와 혹은 망새라고 한다. 지붕 끝단 모서리 마감하는 역할을 하는
기와 빗물받이, 화재를 예방하고 집에 들어오는 잡귀 부정을 막아
주는 벽사의 뜻과 평안을 기원하는 상징적 의미를 가진다.

동공에 고인 물빛
아쉬움만 가득 담은 채
암담한 작별 의상은
언 날개처럼 펄럭인다

비루해지지 않기를

말하지 못하고
안으로만 삭여야 하는 원망
빈자리 쓰리고 아파

황폐해진 내면은
위선과 기만으로
비루해지지 않기를

인고의 설움 견뎌내
장벽을 허물면
언젠가 웃을 수 있겠지

진혼곡

앙상한 가지에 매달린
일그러진 나뭇잎
겨울 끝까지 지탱하려 버틴다

털고 털어봐도
털리지 않던 기억이
언저리 맴돌다 사라지는 허전한 가슴

짙게 부는 바람에
먹먹한 울음 참아내며
얼어붙는 대지

가슴 깊숙이 들어온 찬 소리는
상여의 행렬에 맞춘
진혼곡처럼 파고든다

님의 눈물

피고 지고
자연은 자주 변해간다

나이 듦이 두려운 날
초록은 한결 더 푸르다

태양에 가려
해 질 녘 외로움을 미처 알지 못했다

홀로 피는 풀꽃이 있을까
밤이슬 목축임이 절실하다

비라도 듬뿍 내리는 날이면
님의 눈물이라 여겨 활짝 피우련만

갈대 여린 잎

가을비에 젖은 갈대 여린 잎
새털 같은 씨앗
바람결이 앗아 가고

초례청 백년언약 지키지 못하고
떠난 이와 보낸 이의
이별은 모른다 해도

실 가닥 휘어진 줄기
맺힌 눈물 무게 이기지 못해
부는 바람에 안부 실어 보낸다

흙인지 바람인지

잠시 불 밝히고 살아온 생
욕망은 땅에
포기를 하늘로 올려 보내던 그 길목에서

흙인지 바람인지
서러움 숨긴 채
두고 떠난 사람

나로 하여 아팠던 마음
참았던 굴욕
안고 간 눈물에 용서를 빈다

어쩔 수 없어 가슴 아파도
나는 그 옆에 있고 싶었다
오래도록 함께하고 싶었다

갈 곳 잃은 눈동자

처마 끝 풍경소리
뉘 오시려나
헛바람 사나워
쉼 없이 울린다

기와집 모서리 울어대는 비둘기
님 잃은 양 홀로 분주하다
행여 비라도 내리면
저 새 어디로 갈까

갈 곳 잃은 눈동자
너와 내가 닮아
떠난 님 기다리듯
허망함 속에 빠져든다

부엉이 울음소리

뒷동산 부엉이 울음소리
밤은 깊어 가고
달빛이 가지마다 걸려 찢어진다

어둠과 함께 살아야만 하는 운명
미친 듯 허공을 휘돌다
저주받은 설움을 토해낸다

소리 내어 울 수 없고
표현조차 할 수 없는 울분
대신 우느라 더욱 구슬프게 운다

밤만 되면 그렁저렁 몇 골짜기 헤매다
지쳐 돌아왔나
너의 울음에 숲이 온통 젖었구나

변명이라도 하고 가지

어두운 밤
먼 하늘 위에
하나둘 그려내던 꿈

그때 그리던 별
아직도 못다 그려
남겨 놓은 것은

신이 허락하지 않아
어쩔 수 없었다고
변명이라도 하고 가지

하마터면 놓칠 뻔한 인연

용인되지 못한 인연이라
침묵하며 먼발치에서
지켜 가려던 그 고달픈 날들

둘러싸고 있는 관념들이 달라
일어나는 마찰과 갈등으로
나만 외로웠다

달라질 것도 없고
바뀔 것도 아닌데
운명의 저울질은 왜 하는 걸까

살다 보니 살아가고
부딪치다 보니 넘어가는 것을
하마터면 놓칠 뻔했던 인연이

온전한 내 것임을
이제서야 확인한다
내 곁에 머물다 간 뒤

독백

참 많이도
서러웠던 존재
어쩌다 여기까지 왔었네

겉돌던 인생
내 아닌 너라고 최면을 걸며
깊은 한숨으로 밀어내던 앙금들

서투름 많아 아파하던 나를
기어코 보듬어준
고마운 표현 이제서야 한다

보내놓고 하는 독백은
서둘러 간
이유 때문이다

그때는 어찌하나

하고픈 말
산기슭 작은 터에 묻어둔 채
가슴 시린 날 많아도 애써 참는다

바람결에 파고드는 외로움은
무식에서 오는 병이라
굶주린 강아지처럼 문전걸식으로 채워보고

머리에 내린 이슬은 위선으로 가려보지만
세월을 이길 수 없는 찌든 몸은
마디마디 고통이다

벌레가 갉았다 한들 아까울 것 없다면서
기댈 곳 찾는 것은 노욕일까
체념하지 못한 본능일까

온전히 머물다
갈 수 있으면 좋으련만
누군가가 이 존재 치우고 싶어 하면

그때는
어찌하나
겁부터 나는 것이 인생이려나

낙엽처럼

하늘이 이별을 허락한 듯
차가운 바람은
낙엽을 꺼안고 뒹굴다 사라진다

하얀 시트에 남겼던
흔적처럼
그렇게 그렇게 지워지고 만다

싱그럽게 푸르던 나뭇잎
아름답게 물들었던 단풍도 잠시
퇴색된 채 떨어져 바스러진 낙엽처럼

형형색색 빚어오던 삶은
늙었다는 이유로
내려놓는 연습을 해야 한다

돌쩌귀도 따라 울었다

말할 수 없는 서러움에
목 놓아 울었다
되돌릴 수 없는 기억

바둥대던 세월
감내할 수 없는 응어리
장벽 넘어 그 시간에 머물러있는데

이런저런 생각에
너무도 보고 싶어 흐느껴 울었다
돌쩌귀도 따라 울었다

내 고향 들녘은

보리밭이랑 사이 실바람
찰랑대는 은빛 물결
아름다운 기억의 편린[1] 들

은은하게 빛나는
수채화는
피사체 그대로 아름답다

내 고향 들녘은
아직도 내 어머니 품이 있어
늘 가슴 저리게 그립다

---

1 편린 片鱗 : 한 조각의 비늘이라는 뜻으로, 사물의 극히 작은 한
부분을 이르는 말.

죽순 마디처럼

석양이 짙은 해변
쉼 없이 젖어 우는 모래톱의 비애

스친 바람은
시간을 안고 물 따라가고 없다

별빛으로 키운 순간의 기억이
죽순 마디처럼 커져간다

저미는 뭉클함은 잠시일 뿐
더 이상의 설렘도 없는데

기억하고 싶지 않은 것들만 따라 나와
늘 뛰듯 살아온 구차함만 들추어낸다

물먹은 별 하나

희미한 달빛에 떠도는
물먹은 별 하나
바람에 실어 보내온 안부

내 마음속에 면면한데[1]
희망을 내려놓고
내 삶에 노예가 되어

쏟아지는 눈총
견딜 수 없는 비애
그 힘든 시기를 버티고 견뎌도

허투루 산 것처럼
정작 지켜야 하는
소중함을 잃고 갔다

---

1 면면하다 : 끊어지지 않고 죽 잇따라 있다.

내가 할 수 있는 보답은
진눈깨비 내린 설원의 무덤 앞에
잠시 웅크려 머물다 가는 것뿐이다

억새풀 씨앗 하나

억새풀 물결 위에
윤슬이 자지러진다
갈바람 불어 흩날리는
하얀 머리카락

곱게 빗질하여 쪽진
검은 머리 하얗게 될 때까지
함께하자던 약속을
지키지 못한 이가 그리워

간밤 홀로 울었나
눈물자국 남아있네
풀어헤친 채 울었나
스친 옷깃 적시는구나

무심한 듯 부는 바람
그곳 향한 바람이면
씨앗 하나 달고 가서
그이 무덤 곁에 놓아주렴

허망한 약속

길을 잃은 것도
길을 찾는 것도 아니다
그냥 모를 뿐이다

해마다 꽃은 피고 지지만
한 번도 작별 인사를 나눈 적이 없다
때가 되면 다시 피기에

그냥 무작정 기다려본다
어디로 갔는지
어디서 머무는지

사무치게 그리워도 오지 못하는 이를
기다리며 살겠다는
허망한 약속을 한다

윤회

기억의 세포가
내 머릿속을 꿰뚫어

저릿하게 밀려오는 공포
죽음에 대한 생각을 한다

영혼과의 계약
전생의 습관

업보라고 하는 것
누구도 비켜 갈 수 없다는 운명

해탈한 수도승의 전유물 같은
증명 불가한 윤회를 생각한다

그럼 나는 무엇이었고
또 무엇으로 어떻게 태어날까

펄럭이는 마음

문설주에 걸어둔
질긴 그리움이 꿈틀댄다
숨어든 가을 탓에 한기를 느낀다

잡고 싶었던 인연
그 사람에 목말라 있다
감정에 몸살을 앓는다

죽은 자가 고민하는 것을 보았나
외로워하는 것을 보았나
펄럭이는 마음 내려놓고

이제는 나란 존재가 질리지 않고
살아 있다는 것만으로
다행이라 여겨 주길 바랄 뿐이다

아버지

말하지 않아도
든든한 내 편

두드리지 않아도
으쓱해지던 어깨

아버지의 헛기침은
단란의 울타리였다

떨어진 벼락 거친 바람에
불러봐도 대답이 없는 순간

무너진 언덕의 폐허
빈 지갑의 암울함

깊은 동굴 속에서
빠져나오려 몸부림치다

마지막 발악으로 불러보는
그 이름

아버지
아버지

청매 황매

별빛 고아 설친 잠
눈부신 아침이 오면
수줍어 고개 떨구던
연분홍빛

발끝 시린 날
낮달처럼 감싸 안을 때
살포시 안겨
꽃술 달던 밤

여린 꽃잎 살포시 열어
청매 황매 달아
굽어진 가지
늙은 속마음 달랜다

개망초 꽃

아카시아
치자 꽃향기 짙은 꽃다발
신부의 부케라고 내밀며
이별이 아쉬워 늘어지던 날

해넘이 한해살이
개망초 꽃 흐드러지게 피었다
스쳐 지날 인연이라
머뭇거릴 때

변함없을 거라며 믿으라 했던
그 약속의 무게에 짓눌려
평생을 등 굽게 살다
개망초 꽃 필 때 그는 떠났다

뜸만 들이다

건조한 땅 위에
때맞춰 내리는 단비
마른 풀잎 흠뻑 적신다

젖은 나뭇가지에 떨어지는 기억
이불 섶 물고 늘어지든 밤
밉다가도 곱던 날

뜸만 들이다
사랑한다는 말
하지도 듣지 못해

이제는 속에 것들 다 비워내고
미세한 감정도
드러내며 살아야겠다

왔다 간 사람

서리 먹은 가슴 움켜쥐고
왔다 간 사람
어디로 갔는지 모른다

허물어질 때까지
헤집어 놓고
말없이 떠난 사람

속삭여 불러 보았다
소리쳐 불러도 보았다
주소가 없어 찾을 수 없다

형체조차 빼앗긴 체
흙 한 줌 덮고 있을 뿐
하늘이 우는지 내가 우는지 알지 못한다

지우개

머릿속에 떠도는 말
비워두면 채워진다기에
깡그리 비웠다

긴 세월 살아봐도 모르는 건
삶이란 아득한 안갯속
죽음은 흐릿한 연기 속

그 어떤 것으로도
채워지지 않는 빈자리를
몸은 기억하고 있지만

머릿속 지우개는
기억하고 싶은 것들만
지워가고 있다

나그네

예고 없이 찾아온 나그네
삶을 송두리째 흔들어 놓아
두렵고 서러워 울었다

살고자 발악하는 욕망은
본능일까
속물일까
아린 통증 견디며
암의 흔적 도려내 몸살을 앓았다

이제
나를 지켜주는 파수꾼 있으니
툭툭 건드려 장난치지 말아
사납게 굴지도 말고

먼 훗날
내 너를 부르거든
검은 옷 입고 바쁜 걸음으로
내게 와서 고이 업어 가거라

하고 싶은 말

실핏줄 드러낸 앙상함
빈자리 익숙해지고
내 몸이 늙어가는 지금
처음 돌아보았다

쥐여줄 것이 없어
허기진 주머니
숙어진 고개가 가슴 아파도
할 수 있는 것은 아무것도 없다

주어진 삶에 담대하게
살아가길 바라는
염원만이 내가 할 수 있는 전부다
그냥 하고 싶은 말은

먼저 쏘고 나중에 맞혀라
과녁은 나중에 옮겨도 된다
조준만 하다 말면 후회만 남게 된다

전략보다는 실행이다
행동하지 않으면 꿈은 꿈으로 남는다

살아보니 시간은 가면 그만이고
지금 이 순간을 놓치면
영원히 오지 않는 것이 인생이더라
누가 대신 살아주지도 않더라

고운 꿈 수 놓아

저녁노을 따스한 들판
순박한 마음들아
사랑은 빈곤으로 시작하여
저리게 저리게 구걸해야 하더라

그리운 사람 망설이는 사람
서로의 가슴으로 스며들어
고운 꿈 수 놓아
찬란한 내일을 잉태하면

노을빛에 익은 날
두 손 마주 잡고
황혼 녘 뒤돌아보면
인생길은 아름다울 텐데

엄마의 투정

늦은 밤
살며시 방문 열고 들어서면
타박을 곁들여 내밀던 밥상
엄마의 잔소리가 그립다

놓아버린 설거지
아무려면 어떻겠나
나가든 들어가든
느낌조차 없는 듯한데

때로는 멍한 가슴에
외롭고 무서울 때도 있단다
홀로에 익숙하여
외롭지 않은 줄 알았는데

책임지지 못하고
감당하지 못해도
엄마의 투정은 아직도
빈 마음이 아니라서 다행이라

넋두리

제한된 목숨을 살면서
자신도 모르게
이별에 익숙해지고 있다

살아내려고
살고 싶어
사는 것으로 태어난 보상을 받고 있다

시시각각 산다는 이유로
인생을 흩트려 놓고
힘들다 고달프다 넋두리한다

죽음이 좀 더 가까이에서
선명하게 보일 때
그때는 남은 욕심을 어찌하려고

감사한다

눈맞춤 한번
심장 소리 한번
며칠을 허둥대다

침묵으로
닫힌 마음 열어두고
고단한 일상도 원망하지 않았다

운명이라 여겨
흔들림 없는 각오로
상처의 무게 홀로 지고 살다 떠났다

상상을 초월한 인내로 견뎌
지켜온 삶 속에 남겨진
그를 닮은 두 자녀의 마음씀에 감사한다

붉은 얼룩

그냥 퍼질러 앉자 운다
가슴 밑바닥에서 토해 내는
설움과 원망을

늙은 아비는 어르고 달래 보지만
심장을 뚫고 나오는 울음은
땅 밑을 파고든다

아파트 주민을 다 깨웠어도
폐부를 헤집는 통곡을
취기라 나무라는 자 없으련만

노부의 인생을 실어내는 수레
벗어날 수 없는 지옥 같은 현실
구겨진 파지 위에 붉은 얼룩이 진다

깊은 밤 날아든 참수리[1] 는
책임지지 못한 젊은이의
감정마저 앗아 간다

1   참수리 : 경찰을 상징하는 심벌.

만학의 꿈

이정표 없는
갈림길에 서서
의연해지려 했으나

평생에 갈망하던 꿈을
목전에 두고
포기할 용기가 없었다

늦게서야 온 기회를 움켜쥐고
인생 이모작을 심고 싶다
백발에 만학의 꿈을 이룬다

불나비

움켜쥔 주먹
살짝 펴는 순간 놓친 햇살

등 돌려 울음 훔치며
묻어둔 삶의 치부

화목에 날아드는 불나비처럼
만학도가 되어 꿈을 꾼다

맑은 영혼의 별 그림자에 업혀
타는 목마름 축이던 기억

때로 때때로
감사한 추억으로 간직하련다

나팔꽃 당신

가지마다 매달린 눈물 훔치던
그 후미진 골목을 지나
서리꽃 피더니

귀 막고 입만 벌려
누가 무슨 말을 하는가
입 기울여 듣는 나팔꽃 당신

가슴 깊깊이 숨겨온 침묵은
눈가에 슬픔으로 남겨두고
서서히 스며드는 향수병이

입 다물면 주름진 입술
놀릴까 봐
활짝 피운 채 잠이 든 우리 엄마

어느 여인

언제나
햇살 담은 푸른 바다가
연상되는 어느 여인

한 송이 작은 장미에
건조한 눈시울 적시며
들어주고 나누어주던

기약 없을 때 만난 인연
그녀의 귀한 인생철학
오랫동안 기억에 담아 두련다

자숙의 목발

홀로 선 두루미
외발로 비틀댄다
나도 비틀댄다

찢어진 연골은
깁스로 폐각[1] 을 면했고
자숙의 목발이 생겼다

두 무릎 꿇던 벌이 그립고
달음박질로 바빴던 일상
투덜대던 발길질도 반성한다

내 영혼을 지배할 수 있는 정신
온전한 몸놀림에
깊이 감사하며 홀로 걷고 싶다

---

1   폐각 廢脚 : 다리를 쓰지 못하는 것, 불구가 된 다리.

여궁사

연암의 활터
화랑정신은
비 맞고 햇볕 받아
새로운 세상으로 발돋움한다

마음속 구름을 닦고
엄숙한 자세로
과녁을 향해 시위를 당기는 여인

여궁사로 다시 태어나
독수리 눈매로
영혼의 티끌마저 날려버린 위풍은
꿈을 안고 푸른빛 회전목마 타고 화성을 난다

미망인의 슬픔

창문 너머 이별
피맺힌 절규
손 뻗어 닿을 거리
닿을 수 없는 안타까움

코로나로
붉은 구름 속으로 떠났다는
친구의 비보
애도하는 카톡 소리 가슴 짓이기는데

마지막 인사도 못 한 응어리
옹이 되어 아픈 가슴
죄인처럼 숨어 우는
미망인의 슬픔

설렘

젊은 그들만의 것이 아니다
남녀 사이의 전용어도 아니다
반생을 잊고 있었던 친구와의 약속

밤잠 설친 설렘은
주름진 얼굴에 주눅이 들고
초라한 모습에 예민해진다

용기내어
한껏 꾸미고 가려 들여다보면
마주 선 나는
들뜬 나를 주저앉혀 버린다

이 죽은 듯한 영혼에
괜스레 눈가가 붉어진다
이유는 모른다
그냥 서럽다

꿈엔들 알았을까

산기슭 감아 도는 골짜기
시냇가 물안개 피는 새벽
산그늘 드리우고
우거진 넝쿨 속 새 지저귀는 소리

이만하면 세상 부러운 것 없으련만
쌀 한 포에 한 달을 견디며
술잔 속에 코 박고 사는 인생
누가 옆에 있어 나무랄까

가난이 눈앞에 펄럭이고
허기를 졸라매며
좌절할 이상도 잃어버린
기막힌 인생이 기생하는 곳

등 굽은 노파
혀를 차며 가져다주는 함지박 속
먹거리를 비굴한 예의로 받는
찌들어 버린 자존심

오도 가도 못한 중 늙은이
태어날 때 받은 박수가
인생 일대의 환영으로
이런 인생인 줄 꿈엔들 알았을까

걸쇠

빈틈에 파고드는 햇살
산자를 다독이는 따뜻함
스친 눈물

늙어가는
감정은 내 맘 같지 않아
말라가는 겨울나무처럼

물먹은 파지
늘어난 피부
텅 빈 가슴

쓸모없는 존재로
닫힌 듯 열린 대문 지키는
걸쇠

달빛이 조각 나 보이던 날

달빛이 조각 나 보이던 날
절박한 심정으로
문밖 죄인 되어 서성인다

벼랑인지 바닥인지
분간조차 할 수 없는 고통을
홀로 견뎌내야 하는 아들이

유행병이라 등 떠밀어
살겠다고 피난 나온
자신이 부끄러웠다

내려앉는 기둥 떠받들 힘이 없어
애타게 부른 이름은
영혼마저 깨워 울게 한다

악어 이빨을 숨긴 병
오미크론이 세상을 뒤집더니
기어코 우리 집까지 헤집어 놓았다

여름

아카시아 향기 짙은 날
마른 울음 우는 매미 소리
헛잠[1] 을 삼킨다

언덕배기 솔가지
저만치 빗겨 선 그림자
아지랑이 화로에 잠기는데

모난 돌 달구는 온도에
숨이 멎을 것 같아
냉기 품은 것들에 더위를 식히면

눈 부신 태양 초록의 향연
청춘 그들만의 것인 양
싱그러움을 뽐내는 여름

---

1   헛잠 : 거짓으로 자는 체하는 잠, 잔 둥 만 둥 한 잠.

시린 눈물

내 나이 칠십에 이제야 꿈을 꾼다
가장 후미진 곳의 해토[1]를
누군가가 정교하게 바라보지 않아도
그냥 공감해 주길 바란다

내가 바라보던 시선은
늘 땅 밑을 파고들어 낙오와 좌절뿐
타는 목마름으로 숨죽여 살았다
그때는 나의 인생 자체가 부끄러웠다

어린 시절의 갈채가 온전한 내 것인 듯
귀족의 역할을 해오던 때
그때는 영원할 줄 알았다
시린 눈물 흐른 뒤에 서야
내 것이 아니란 걸 알았다

---

1   해토 解土 : 얼었던 땅이 녹음.

잠 못 드는 영혼에 전한다

오미크론을 앓는 딸의
힘듦을 보듬지 못하고
문밖 죄인 면해
다행이라 했던 어미

면도날을 삼킨 듯한 고통을
가늠조차 하지 못해
허기져 올린 찬 내려놓고
찬물 말아 끼니 땐다

먼저 앓은 면역으로 간호하겠다는 아들
따라 견뎌준 딸
남매의 무사함을
잠 못 드는 영혼에 전한다

선물

말없이 내민
처음 받은 선물
'좋은 생각' 이란 잡지

책갈피에 꽂아둔
은행잎에 그린
클로버 풀잎 (♡) 모양 하나

조심조심 그렸을
빛바랜 청춘은 바스러졌지만
생각하면 쓴웃음 짓게 한다

해바라기 꽃씨

실바람이 차가워
칭얼대며 우는 문풍지
이불자락 여며 달래던 짧은 겨울밤

얼어붙는 입김이 애틋해
허락받은 인연은 소홀했던 정을
해바라기 꽃씨 껍질 벗겨 보듬던

머~언 기억

살포시 감은 눈에 시린 눈물은
익을 대로 익어버린
마음속을 비워내는 연습을 한다

질서를 잃은 염색체

우주가 끙끙 앓아
얼어붙은 시선들이
가시처럼 심장 깊이 파고든다

맑은 영혼들은
저마다 다른 꽃으로
오늘도 행복한 미로를 간다

다시 꾸고 싶은 태몽
질서를 잃어버린 염색체
뼛속까지 드러낸

광기 어린 전생 업보
피눈물에 흠뻑 젖어 낳은
애달픈 영혼들

삭정가지

혈관의 피가 끓어
앓는 소리로 넘침을 제어한다
주어진 생명 주머니 끌어안고
칼바람 부는 고개를 넘는다

신열에 시달리다
삭정가지[1] 가 떨어져 나가고
겨우 오미크론에서 벗어나
살아 있음을 느낀다

어린 기도로 구제받은 동심이 있었다면
살아 있는 죄목을 회계하긴 이미 늦었다
이제 헝클어진 마음 정리하여
내려놓는 연습을 해야 할 것 같다

---

1 삭정가지 : 산 나무에 붙어 있는, 말라 죽은 가지.

날개

유록색 덩굴 넘어
환한 대낮이 흐른다
도도히 일어나는 폭양
아지랑이 꽃이 핀다

잊고 접었던 심상에
심한 갈증을 느낀다
내 안에 떠도는 작은 불씨 하나가
마음에 들다 말다 한다

바보 같이 생각만 하다
세월을 보내고 나면
후회할 것만 같아
날개를 단다

봄바람 쐬는 글

매 순간 함께하고 싶었다
봄볕에 실바람 맞은
초록의 향기

가는 풀잎 끝에 매달린
얇디얇은 눈물방울 마르기 전
은빛 나는 잎새

얼마나 많은 영혼들이
너를 승화시켜
구멍 난 가슴 달래려 했을까

엄마 품 떨어진
벌 나비의 조용한 날갯짓
비로소 봄바람 쐬는 글

나의 가을

나는 너를 닮고 싶었다
향기가 있었다면
나그네 발길 잡아
외로움을 달래고 싶었고

너의 품성을 닮았다면
내 가슴 달구는 온도로 데워
푸름에 짓무른 눈물을
나눌 수 있었을 텐데

어렵고 팍팍할 때
보고 싶은 사람 보고 싶다 하고
그리운 사람 그립다 하며
계산 없이 살고 싶었다

나의 가을은
소담하게 담아낸 다식과 차를
내 좋은 사람과 나누며
소탈하게 살고 싶다

화락정 차꽃 축제

화락[1]정 차꽃 축제
정겨운 모임에 초대받아
손꼽아 기다린 날

오랜만에 만난 동료들 반기는 웃음
웃음에 익숙하지 못한 어색함을
유록빛[2] 풀 향기로 풀어본다

건강을 잃어 몸져누웠을 때
생각나던 사람들
한뜻으로 모여 눈 맞춤했던 마음

주춤하던
쭉정이도 품어주는
그 마음들에 감사한다

---

1 화락 和樂 : 화평하고 즐거움.
2 유록빛 柳綠 : 버드나무 잎의 빛. 푸른빛과 누른빛의 중간 빛.

축제장 파티가 시작되고
아름답게 장식한 음식들
마음속 드러내어 이어가는 시 낭송

서로의 가슴 녹여주는 차를
좋은 사람들과 나누니
마음속 즐거움 가득하다

오늘도 평화롭게 즐기려 했는데
멋쩍음은 여전하여
녹차로 메마른 입술만 적셔본다

바쁘다 바빠

내 나이 칠십이 넘어
정서가 말라가고
기억해야 할 것조차
거물을 빠져나가는데
노욕만 늘어난다

굽어진 터널 입구에서
못 해본 것
하고 싶었던 것
정작 해야 하는 것은
너무 많은데

눈 깜박하면 하루가 간다
재채기에 담이 걸리고
피곤하다 싶으면 몸살을 한다
몸도 여건도 이제는 마음뿐인데
눈치까지 봐야 하니 바쁘다 바빠

무지개 빛

체념하여 접고 잊었던 소망
반평생 동안 갈망하던 꿈을 이루었다
비상할 수 있는 날개를 달았다

칠십이 넘어 이루어낸 꿈의 조각들
장엄하거나 위대하진 않지만
해낼 수 있다는 용기를 얻었다

청솔가지 태운 푸른 연기 속에
내 영혼의 무지갯빛을
이제서야 그려본다

번개모임 하는 날

먼 산 석양이 넘어가면
우거진 대나무숲을 몰래 빠져나와
어울림 하던 친구들

한참을 바라봐야
알 수 있는 주름진 얼굴에
웃음꽃 핀다

줄줄이 엮어가는 추억담은
비켜간 세월을 데리고 온다
우리는 나이를 모른다

번개모임 하는 날
보름달 하나씩 베어 물고
활짝 웃는 늙은 청춘들

이별 인사

어둠을 딛고
굳은 가슴 녹이는 불빛
저물지 못한 마음에

옷깃 잡아끌어
빈 잔 채워
성찰의 글을 쓰게 한다

꿈이 빠져나간 자리 다시 채워
어느덧 삶은 바뀌었고
지나면 희미해질 이 순간

배움에 굶주린 인연들은
아쉬운 이별 인사로
다음을 약속한다

질긴 생명력

산기슭 허물어진 집터
이끼 낀 돌 틈 사이
비집고 나온 소나무 질긴 생명력

걸터앉은 회색 구름
바람결에 녹아내린다
짙게 울어대는 두견새

소중했던 인연을 밀어내듯
울컥울컥 쏟아내는 소리에
애꿎은 한숨만 늘어나고

길가 늙은 나무
휘감고 홀로 자란
담쟁이넝쿨만 무성하다

◎ 책을 펴내며

　껍질을 벗으려 안간힘을 쏟았습니다. 바둥대기도 했습니다. 포기하고 접기엔 조금은 아쉬운 생각에 궤도에서 놓쳐버린 운전대의　남은 열기에 미련이 갑니다.

　주눅이 들어 땅만 보던 시선을 조금 위로 보고 편해지고 싶었습니다. 후퇴도 멈춤도 없는 세월의 자동차를 쫓다 보니 숨도 찹니다.

　그래도 포기할 수 없어 또 한 권을 엮어 봅니다.

2024년 1월에
이윤지(물봉)

@LBG13070

인스타그램   @lbg13070
전자우편   yunji13070@naver.com